Dieser Chibi beginnt nicht auf dieser Seite. »RACCOON« ist ein Comic nach japanischem Vorbild und in Japan wird von »hinten« nach »vorn« und von rechts nach links gelesen. Also müsst ihr auch diesen Chibi auf der anderen Seite aufschlagen und von »Hinten« nach »vorne« blättern. in der Grafik nebenan könnt ihr sehen, wie ihr die Sprechblasen lesen müsst. Viel Spaß!

www.carlsenmanga.de
www.carlsen-chibi.de

CARLSEN COMICS
1 2 3 4   10 09 08 07
Originalausgabe
Chibi Nr. 003
© Carlsen Verlag
GmbH / Melanie
Schober
Hamburg 2007
RACCOON
by Melanie Schober
All rights reserved.
Redaktion:
Jonas Blaumann
Lettering, Herstellung:
Dennis Ohrt
Druck und buch-
binderische
Verarbeitung:
Ebner & Spiegel, Ulm
Alle deutschen
Rechte vorbehalten
ISBN:
978-3-551-66003-8

Printed in Germany

WIE SIEHST DU DENN AUS?! UND WO IST DIE SCHRIFT-ROLLE?!

FAUCH

UND MEIN SCHWERT HAST DU AUCH GE-KLAUT!

ZUR STRAFE WIRST DU UN-SERE UNTER-WÄSCHE WA-SCHEN!

ZER-FETZT?! KANN MAN SICH DENN NIE AUF DICH VER-LASSEN?!

AAAH!!!

HEY! DAS WAR DOCH NUR EIN SCHERZ ... HIHIHI!

HE! HE!

... WERDE ICH 1.000 UNGER-ECHTE ER-WACHSENE ERLEDI-GEN!

SCHRUBB

WEISST DU WAS, PELZ-KOPF?

WENN ICH GROSS BIN ...

ENDE

WARUM KANN ICH NICHT IMMER SO GROSS SEIN?!

ACH, WIE SCHADE ...

JA, ABER MEINE KLAMOTTEN SIND HINÜBER...

Und deine Verletzungen sind geheilt.

... dafür bist du wieder du selbst!

Diese Fusion hält halt nicht ewig...

GLITZER

MEINST DU WIRKLICH?!

Du hast ein reines Herz!

MEISTER BANSHU WIRD STOLZ AUF DICH SEIN!

Du ewiger Miesmacher! Sei doch zufrieden mit dem, was du hast!

PAH! WAS HAB ICH DENN SCHON?!

HAPS

SCHLÜRF

Tja, Schlitz-ohr...

So bestraft einen das Leben...

Kann ich verstehen...

Und? Hat's wenigstens geschmeckt?

Böse Jungs hinterlassen immer einen bitteren Nachgeschmack.

WÜRG

...

GEBIE-
TER DER
NATUR...
HELFT
MIR!

Das
werden
wir ja
sehen
...!

BLINK

KSST

Das
ist der
Geist
des Le-
bens...

W-
WAS
IST D-
DAS
...?!

QUALM

... den
du durch
dein hem-
mungsloses
Morden
verärgert
hast!

W-WAS SOLL DAS?! WER BIST DU?

Wer ich bin?

Deine Verachtung für das Leben hat die Geister der Natur ungnädig gestimmt!

Empfange deine Strafe!

SWUSCH

Mein Name ist Kami-Taku! Ich werde die Welt von deinem hässlichen Angesicht befreien!

Schnell! Er kommt ...!

Ja!

TAP TAP

UUH... DAS KLINGT JA VOLL ABARTIG...!

IST WOHL ABER DIE LETZTE CHANCE...

HUARRGH! NICHT SO GROB!

Gib mir deine Hand!

FLASH!!!

A-ABER... W-WAS IST DAS?!

NA, KLEINER, HAST DU SCHON INS GRAS GEBISSEN?

TAP TAP

ODER MUSS ICH NOCH EIN WENIG NACHHELFEN?

DER KAMPF IST EINE SCHRECKLICHE SACHE. UND WER MIT HASS IM HERZEN KÄMPFT, SÄHT IMMER NOCH MEHR HASS...!

MAN SOLLTE NUR KÄMPFEN, UM ETWAS ZU BESCHÜTZEN, DAS MAN LIEBT...!

WAS?

Du hast es endlich begriffen!

Deine Kräfte als Mittler!

Wir können miteinander verschmelzen...

... und zu einem starken Kämpfer werden!

WAS DENN FÜR MÖGLICHKEITEN...

Den Sinn deines Daseins als Botschafter der Kami!

Das eröffnet uns neue Möglichkeiten!

EIN KAMPF IST NICHTS SCHÖNES. MIR TUT ALLES WEH...

BAN-SHU UND FUYU ...

... HATTEN RECHT.

.. UND CH HABE ANGST!

Taku!!

BAMM!

PELZ-KOPF ...

... ICH HABE MICH GE-IRRT...

NGH!

Du darfst nicht aufgeben!

Es ist noch zu früh zum Sterben!

FALSCH!

AAH... ALIA... DAS IST KINDES-MISS-HANDLUNG...

DAS SIND DIE KONSE-QUENZEN FÜR DEINE STURHEIT, KLEINER!

TAP

KRAH KRAH

ZAAA

ARGH!

DAFÜR STIRBST DU JETZT!

MACH DICH BEREIT!

SWUUU

... AN EINEM ORT, DEN DU NIEMALS FINDEN WIRST!

GAAH!

SCHÜTTEL

WO?! WO?!

PLIC PLIC

UMPF!

RAAAHH!!

WOSCH

DU KLEINE MIST-KRÖTE!!

PACK

NEIN! EGAL, WIE WEH ES TUT... ICH DARF NICHTS VERRATEN...!

...

JA?! RAUS DAMIT! SONST WERDE ICH UNGEMÜTLICH!

WAS IST JETZT?! WIRD'S BALD?!

BANSHU IST DANK MIR PRAKTISCH UNBEWAFFNET... WAS BIN ICH FÜR EIN IDIOT ...!

GUT, DU HAST GEWONNEN...

S-SIE... SIE SIND...

AUSSER DEN BEIDEN HABE ICH NIEMANDEN AUF DER WELT...

MIR SCHEINT, DU HAST ETWAS WICHTIGES VERGESSEN...

ZITTER

...WER ZU SCHWACH IST...

...STIRBT!

DAS TUT WEH, NICHT WAHR?!

AU!

DONK

JETZT SEI EIN GUTER JUNGE UND SPUCK'S AUS...

S-SIE... SIE SIND...

BIBBER

WO HABEN SICH BANSHU UND SEIN EINÄUGIGER KUMPEL VERSTECKT?

OH DOCH! TÖTEN IST NIEMALS EDEL!

WIRBEL

N-NEIN, D-DAS IST NICHT WAHR ...

...

URGH ...!

WAMM

SPÜRE, WIE SICH DIE REALITÄT ANFÜHLT!

ZITTER

ICH HAB GESCHWOREN, BÖSE MENSCHEN ZU TÖTEN!

HALT DIE KLAPPE! WEGEN MÖRDERN WIE DIR MUSSTEN MEINE ELTERN STERBEN!

J-JA... GENAU!

DU RICHTEST ÜBER ANDERE MENSCHEN UND BRINGST SIE DANN UM?!

UND DU ENTSCHEIDEST, WER GUT UND WER BÖSE IST?!

SOSO ...

DER HASS IN DEINEM HERZEN WIRD BEI JEDEM MORD WEITERWACHSEN, UND EINES TAGES BIST DU GENAU WIE ICH!

INTERESSANT! WIE ÄHNLICH WIR UNS DOCH SIND.

ZIUM

ST OP

HAR-
HARHAR!
WIE UN-
TERHALT-
SAM!

VER-
FLUCHT!

DU
KLEINER
HOSEN-
SCHEIS-
SER!

ICH
KANN
ES
NICHT
GANZ
ZIEHEN
...

DU
HÄLTST
DICH
WOHL
FÜR
EINEN
GROS-
SEN
HELDEN,
WAS?!

MEINE
ARME
SIND ZU
KURZ!

TAP

ÜBER 1.000?!

DANKE! SO WAR ES EIN KINDERSPIEL FÜR MICH, BANSHU MEINEN TOD VORZUGAUKELN.

ICH BIN EIN GENIE!

D-DAS IST WIRKLICH EINE GANZE MENGE!

WOW! GRATULIERE!

OH NEIN ...!

WIE SCHÖN FÜR DICH... HEHE!

SWW...

DU BLEIBST HIER!

ÄHM... ICH GEH DANN MAL...

DU KLEINER SCHEISSER!!

ICH HASSE MEINE SCHLITZE IM OHR!!

GRR

ICH DACHTE, WEGEN DEINER SCHLITZE IM OHR ...

GNIBBEL

MAN NENNT MICH NICHT UMSONST SCHLITZ-OHR!

BU-HUUU! SCHON IM KINDERGARTEN WURDE ICH DESHALB GEHÄNSELT ...

SCHLUCHZ

TUT MIR LEID! ICH WOLLTE DICH NICHT KRÄNKEN!

... ICH ÜBER 1.000 GEHEIME KAMPFTECHNIKEN BEHERRSCHE!

NEIN! MAN NENNT MICH SO, WEIL...

ERKENNTNIS

Deine Arme sind zu kurz, um es zu ziehen!

Taku, selbst wenn du angegriffen wirst...

... hilft dir das Schwert nicht.

PLING

FIXIER

ICH KANN AUCH ABSCHRECKEND WIRKEN. PASS AUF!

Das Schwert vielleicht... du aber nicht.

BUH!

BÄÄH!

NA UND?! ES WIRKT ABER ABSCHRECKEND.

TSCHILP

TSCHILP

Taku!! Banshu vertraut dir, und nun das...

WIESO?! WAS MEINST DU?!

Du hast des Meisters Schwert gestohlen! *Das* meine ich!

SCHLEIIF

Und was, wenn er es braucht?!

HUPF HUPF

ES LEHNTE GEGEN DIE WAND, WAS SOLL'S?!

ER HAT SICHER NICHTS DAGEGEN, WENN ICH ES MITNEHME.

TROTZ

ER BRAUCHT ES NICHT, ABER ICH!

DU EWIGER MIES-MA-CHER!

FUYU WÜRDE WEGEN SEINEM GESICHT BESTIMMT AUF DEM WEG VERHAFTET WERDEN.

WAS?! ICH HÖR WOHL NICHT RECHT...

AHA! UND WARUM MACHT DAS NICHT FUYU?

ALSO... ÄH... WEIL...

ER VERTRAUT MIR! HAST DU DAS GEHÖRT, PELZKOPF?!

DAS GEHT RUNTER WIE ÖL!

HACH!

...

NA DANN... VIEL GLÜCK, TAKU!

GRR

WÜRG

ICH VERTRAUE DIR VOLL UND GANZ!

WAS GIBT'S DA ZU LACHEN ?!

DEINE! HAARE! HAHA!

RRAAH! LASST MICH!

BWAHAHA!!!

... DIESE SCHRIFT-ROLLE DEM KAISER ÜBERBRINGST! DARIN STEHT ...

FLAPP

... DASS WIR DEN MÖRDER SCHLITZOHR ELIMINIERT HABEN, WIE BEFOHLEN.

OKAY! WAS IST DAS FÜR EINE GEHEIM-MISSION?

NUN, ICH MÖCHTE, DASS DU ...

KRAM KRAM

DIE SONNE SCHEINT SO SCHÖN!

WILLST DU DEN GANZEN TAG VERSCHLAFEN?!

JA! UMDREH

TAKU!

TSSS! DIE JUGEND VON HEUTE ...

GEHEIM-MISSION?! WAS FÜR EINE GEHEIM-MISSION?

WUSCH

ICH BIN WACH UND BEREIT, MEISTER!

DANN SCHICKE ICH EBEN FUYU AUF DIE GEHEIM-MISSION!

TSCHILP!

TSCHILP!

CHRRR

SCHNARCH

Hm?

AUFGE-
WACHT,
SCHLAF-
MÜTZE!

WUNDER-
SCHÖNEN
GUTEN
MORGEN!

BAMM

T-Taku...

...

NGH

GUTE NACHT, PELZKOPF!

G-Gute Nacht ...Taku...

Es tut mir leid! Ich wollte dich nicht verletzen!

FLAPP

SCHON GUT...

DU... HAST DOCH KEINE AHNUNG...

DU BIST EIN KAMI... WIE WILLST DU EINEN MENSCHEN VERSTEHEN?!

ACH! SEI STILL!!

Uaah!!

Ich weiß, wie schwer es für dich war...

... beide Eltern zu verlieren.

WAMM!

Wäre auch zu schön gewesen...

PAH! VON WE-GEN! AUF BANSHUS HINTERLIST FALLE ICH NICHT MEHR REIN!

STARR

Das ist nicht wahr!!

DAS SIND DOCH ALLES LÜGEN!

GNN

ES MACHT IHM SPASS, MICH ZU ÄRGERN.

WEIL ICH KLEINER BIN ALS ER...

FÜR IHN BIN ICH NUR EINE LACH-NUMMER!

ZITTER

ICH HAB DAS GANZE GEPÄCK ALLEINE GESCHLEPPT.

UND WAS IST DER DANK DAFÜR?!

DAS IST SO UNGERECHT!

SUPER!

ICH SCHLAFE IM STINKENDEN SCHWEINESTALL!

Genau! Endlich hast du's begriffen!

BLINK

JA JA! WIEDER EINMAL TRAINING, ABHÄRTUNG UND SO ...

Ich bin sicher, Meister Banshu hat seine Gründe dafür ...

GENAU! ICH HOFFE, ER LERNT DURCH ENTBEHRUNG...

DESHALB BIST DU SO STRENG MIT IHM.

... WAS WIRKLICH WICHTIG IST!

... O GROSSER MEISTER BANSHU?

UND WAS IST WIRKLICH WICHTIG...

...

SO ETWAS MEINTE ICH NICHT, FUYU!

BEI MIR IST ES TABAK! UND WEIBER! UND SAKE!

DAS IST BEI JEDEM MENSCHEN ANDERS...

GENAU DAS IST DAS PROBLEM!

MANCHMAL JAGT MIR SEIN BLICK RICHTIG ANGST EIN... BRRR!

TAKU BEFINDET SICH AUF DEM WEG DES HAS-SES...

...DAS MACHT MIR SORGEN!

UND WENN ER SO WEITER-MACHT...

... WIRD SEIN HASS IHN ZER-STÖREN!

VON EINEM EXTREM RUTSCHT ER INS NÄCHSTE...

VOM BETEN ZUM TÖTEN...!

... GLAUBTE TAKU FEST DRAN, SIE WIEDER LEBENDIG-BETEN ZU KÖNNEN ...

DU ERINNERST DICH DOCH DARAN, FUYU, ODER?

BASH!

... UND SCHLIESS-LICH...

BASH!

... UNER-MESS-LICHE WUT!

... DANN KAM DIE VERZWEIF-LUNG...

JA...

ERST WAR DER KLEINE WOCHEN-LANG STUMM ...

TAKUS ELTERN WAREN MITGLIEDER DIESER RELIGIONS-GEMEINSCHAFT.

SIE GLAUB-TEN DARAN, DASS JEDER MENSCH DURCH INBRÜNSTIGES BETEN ERRET-TET WERDEN KÖNNE.

ALLES, WAS TAKU GELERNT HAT, WAR ALSO DAS BETEN...!

ALS SEINE ELTERN BEI DEM ÜBERFALL UMS LEBEN KAMEN ...

GANZ GENAU!

SELT-SAMER GLAUBE ...

WAS?! NUR DAS BETEN ?!

ALS WIR KAMEN, WAREN ALLE SCHON TOT.

NATÜRLICH! DAS WAR DIE NACHT, IN DER...

... EINE DIEBESBANDE DAS KLOSTER DIESER SHINTO-SEKTE* ABGEFACKELT HAT.

* SHINTO = ÄLTESTE RELIGION JAPANS

JA, DAS WAR TAKU...

... ICH HABE NIE VERSTANDEN, WAS MIT IHM LOS WAR.

NICHT GANZ...

... ES GAB EINEN ÜBERLEBENDEN.

DU TREIBST ABER AUCH DERBE SCHERZE MIT IHM...

MANCHMAL DENKE ICH DAS, JA!

MMMMM NEIN? MM

NEIN!

FUYU, DAS SIND KEINE SCHERZE!

ERINNERST DU DICH AN DEN TAG VOR SECHS JAH-REN, ALS WIR DEN KLEINEN GEFUNDEN HABEN?

ICH ER-KLÄR'S DIR...

MMM

WIE-
SO?

WAS
TAKU
WOHL
MACHT?

HMM
... EIN
WAHRES
WORT!

... UND
GANZ ALLEIN
DRAUSSEN
IN DER DUN-
KELHEIT.

ER IST
NOCH SO
KLEIN...

DU
DENKST,
MEINE
METHO-
DEN SIND
ZU HART,
WAS?

... ICH HASSE MEIN LEBEN ...

TAUMEL

JETZT BESTIEHLT MICH AUCH NOCH DER GOTT DER KLOBRILLE ...

UUU-HUU...

AAH! EIN TRAUM, SO EIN HEISSES BAD!

MMM

SCHUHUUU

NA UND?! UND WEHE, JEMAND STÖRT!

LIEST DU WIEDER DEINE MANGAGESCHICHTEN?

EGAL! ICH GEH JETZT AUFS KLO...

WAMM

DAS IST MEIN MANGAHEFT!!

Hihi! Jetzt gehört es mir!

BANZAI

UAAH!! GIB DAS WIEDER HER!

RUMPEL

ES TUT UNS AUFRICHTIG LEID!

MEHR KÖNNEN WIR DEM JUNGEN HERRN NICHT ANBIETEN.

DODOM

ACH, DAS GEHT SCHON IN ORDNUNG.

ALLE ZIMMER SIND AUSGEBUCHT.

ABER DAS IST EIN STALL?!

DER DREHT ALLES SO, WIE ES IHM PASST ...!

HATE

WIRKLICH?! DABEI IST ER NOCH SO KLEIN... BEWUNDERNSWERT!

FÜR TAKU IST DAS EIN GUTES TRAINING AUF DEM WEG DES KÄMPFERS.

... dass die Welt voller wunderlicher Gestalten ist...

... die nur du sehen kannst!

88

AH!

WIR SIND DA!

PAH! WAS HAB ICH DAVON ?!

EI-GENT-LICH NERVT ES MICH NUR...!

Du bist ein Ver-mittler zwischen dem Reich der Kami* und der Menschen-welt.

Darauf kannst du stolz sein!

* KAMI = JAPANISCH FÜR »GOTT, GOTTHEIT«

ER AR SCHON MMER EIN WENIG SELTSAM...

HAHA! ER SPRICHT WIEDER MIT SEINEM UNSICHTBAREN FREUND!

HAB ICH DICH NACH DEINER MEINUNG GEFRAGT, PELZKOPF?!

DU NERVST!

Mach dir nichts draus, Taku! Sie können ja nicht wissen ...

DER WASCHBÄR IST WIRKLICH DA, IHR KÖNNT IHN NUR NICHT SEHEN!

ICH BIN NICHT SELTSAM!

ICH SEHE IHN, DEINEN WASCHBÄR, ABER NUR MIT DEM RECHTEN AUGE! HAHAHA!

NIE GLAUBT MIR JEMAND...

HATSCHUM!

RUHIG BLUT, KLEINER MANN! WERD ERST MAL EINEN HALBEN METER GRÖSSER, DANN SEHEN WIR WEITER.

KÄMPFEN, LEBEN, STERBEN ... DAS IST KOMPLIZIERT, TAKU!

SCHNORT!

JETZT SEI NICHT BELEIDIGT! DU BIST NOCH NICHT SO WEIT.

SCHMOLL

GRR

Tja, Banshu-sensei* hat ganz Recht, du hast noch viel zu lernen, kleiner Taku.

* SENSEI = JAPANISCH FÜR »MEISTER, LEHRER«

ICH WEISS, ICH BIN KLEIN!

ABER ICH KANN TROTZDEM KÄMPFEN!

WENN ICH GROSS BIN, WERDE ICH VIELE SCHLECHTE MENSCHEN TÖTEN!

DU SOLLST MICH NICHT IMMER SO NENNEN!

DA STAUNT IHR, WAS?!

NÄCHSTES MAL WERDE ICH MIT EUCH KÄMPFEN!

ABER TAKU...

...

... DARAN IST ÜBERHAUPT NICHTS »COOL«.

NNH...

ABER...

WIR HABEN EINEN MENSCHEN GETÖTET...

SOLCHE MISTKERLE VERDIENEN...

... ES NICHT ANDERS!

... DIESER MENSCH WAR BÖSE! EIN SPION! EIN KILLER!

EIGENTLICH MÜSSTE ICH MIT DEM SCHWERT TRAINIEREN.

ODER SOLL ICH MEINE GEGNER SPÄTER MIT DEM GEPÄCK ERSCHLAGEN?!

HATSCHI!

MEISTER BANSHU, FUYU DER FLINKE UND TAKU DER GEFÜRCHTETE...

EINES TAGES WERDE ICH STAR SEIN UND EURER SEI KÄMPFEN

WIRKLICH?

Schnief!

SEI NICHT SO BESCHEIDEN! DU WARST SO COOL VORHIN!

DU SOLLTEST MICH EHER »FUYU DEN VERSCHNUPFTEN« NENNEN ...

Elender Heuschnupfen!

Ich frage euch...

... wer ist wohl der größere Held? Der...

... der das Wort Angst nicht kennt, oder jener...

... der sich seiner größten Furcht stellt, um sie zu bezwingen?

DIE HAUPTDARSTELLER

Taku möchte ein großer Kämpfer werden, damit er die Welt von bösen Menschen befreien kann.

Banshu ist ein erfahrener Samurai und Takus Meister.

Fuyu der Flinke ist Banshus Freund und Gefährte und auf einem Auge blind.

Schlitzohr ist ein vom Kaiser gesuchter Mörder.

Nur Taku kann den *Waschbärgott* sehen.

RACCOON
Ein Blick hinter die Kulissen

Beim *Seitenaufbau* muss man besonders auf das *richtige Format* achten, damit die Panels auch alle schön ins fertige Buch passen. Zudem sind die richtigen Abstände zwischen den Panels wichtig, damit der Leser nicht den Überblick verliert.

Was auf der *Skizze* nur grob angedeutet wurde, muss nun verfeinert wiedergegeben werden, so-dass auch die *Proportionen* und *Gesichts-audrücke* der Figuren stimmig sind.

Wichtig ist auch, dass man nicht allzu viele Bleistiftstriche produziert, da diese beim *Tu-schen* stören können.

Das *Tuschen* ist eigentlich Routinearbeit. Ich kann nebenher sogar problem-los *telefonieren*, ohne dass es sich auf die Qualität der Zeichnungen auswirkt.

Es ist wichtig, die Seite mit ausreichend *Hell-/Dunkel-Kon-trasten* zu versehen, damit das Gesamtbild nicht zu »wuselig« wirkt. Das habe ich während des Zeichnens von »RACCOON« gelernt, weswegen ich besonders auf den letzten Seiten vermehrt auf Rasterfolie zurückgegriffen habe. Wer genau hinsieht, erkennt den Unterschied deutlich.

Im übrigen macht es sehr viel Spaß, zum Schluss die Raster einzukleben. Natürlich kann man diese auch digital einfügen, aber das ist für mich bei Weitem nicht so entspannend wie von Hand zu kleben.

Nach dem Einkleben ist die Seite fertig. Nun muss sie nur noch digitalisiert werden, dann steht dem gedruckten Manga nicht mehr viel im Wege.

VIEL SPASS NUN MIT »RACCOON«!!

... um dann getuscht und gerastert zu werden.

③

... die dann verfeinert wird...

②

Erst wird eine grobe Skizze an-gefertigt ...

RACCOON
Ein Blick hinter die Kulissen

Bevor ihr in die lustige und spannende Story von *RACCOON* eintaucht,
zeigen wir euch hier noch schnell, wie so eine Geschichte überhaupt *zu
Papier* gebracht wird.
Es sind mehrere *Arbeitsschritte* nötig, die man dem fertigen Manga nicht
ansieht. Doch nun erst mal zum...

WERKZEUG

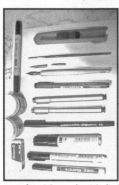

Zum Zeichnen habe ich im
Laufe der Zeit eine ganze
Menge an *verschiedenen
Werkzeugen* gesammelt.
Zum *Vorzeichnen* benutze
ich einen normalen *Druck-
bleistift*, zum *Radieren*
einen Pelikan-Radiergummi,
da dieser am besten
radiert, wie ich finde. Für
die *Outlines* habe ich einen
japanischen Federhalter
für mich entdeckt und eine recht harte Feder-
spitze namens »*Saji-Pen*«. Damit kann man
auch mal fester andrücken, ohne dass die
Linien zu dick werden. Für *Details* und
Schraffuren benutze ich *Copic-Multiliner*.
Die verschiedenen *Eddings* benötige ich für
große Schwarzflächen, *Panelrahmen* und
schwarze Haare (Der Paintmarker eignet
sich hervorragend dafür!). Mit dem *Kalli-
grafiestift* kann man wunderbare *Sound-
words* zeichnen, da sich die Linienstärke gut regulieren lässt.
Pinsel und *Deckweiß* sind unabdingbar, um kleine Patzer beim Tuschen
auszubessern. Nach dem Scannen sieht man die ausgebesserten Stellen
nicht mehr.
Der *Cutter* ist anbedingt nötig, wenn man *Rasterfolie von Hand* einfügt,
wie ich es immer noch mache. Mit der Cutterspitze kann man außerdem
Lichtreflexe in die Rasterpunkte kratzen.

Melanies Ideen zu *Story* und
Umsetzung sind durchweg schon sehr gut!
Natürlich! Sonst wäre ja die Geschichte auch nicht
veröffentlicht worden.
Aber selbst der beste Autor und Zeichner kann nicht
immer einen *neutralen Blick* auf seine Story haben, weil er
sich einfach *zu lange und intensiv* damit befasst.
Da kommen dann wir *Redakteure* ins Spiel. Wir schauen mit
zwei verschiedenen Augen über die *Skizzen*. Zuerst mit dem
Auge des Profis, schließlich haben wir viel Erfahrung mit
Manga. Viel wichtiger aber ist das *Auge des Lesers*, denn
für ihn sind unsere Manga ja gemacht! Die Story muss
rund und *verständlich* sein,
auch für jemanden, der zum ersten Mal draufschaut.
Die endgültige Story und Umsetzung wird dann
zusammen erarbeitet, so ist maximale Qualität garantiert.